Clár

Ag bualadh

Buaileann clog aláraim go hiontach ard agus músclaíonn sé thú. B'fhéidir gurb é seo an chéad fhuaim a chluineann duine ar maidin.

An dtig leat a insint ó na pictiúir cad iad na fuaimeanna eile a chluineann tú agus tú ag déanamh réidh don lá?

BAIN TRIAIL AS!

Suigh gan bogadh, druid do shúile agus éist ar feadh cúpla nóiméad. Cá mhéad fuaim éagsúil a thig leat a chluinstin? An bhfuil fhios agat cad é atá ag déanamh na bhfuaimeanna sin?

Éan ag ceol, cara ag caint ar an teileafón nó trácht ar an bhóthar, is fuaimeanna iad uile a chluineann tú gach lá, is dócha.

SMAOINIGH AIR!

Cad iad na fuaimeanna is maith leat a chluinstin?

Cad iad na fuaimeanna nach maith leat a chluinstin? An bhfeiceann tú rud ar bith ar an dá leathanach seo a dhéanann fuaim nach maith leat a chluinstin?

Déan trup!

Tugaimid an **laraing** nó **bosca an ghutha** ar an chnapán a mhothaíonn tú i do scornach. Tig leat do ghlór a úsáid le gach cineál fuaimeanna éagsúla a dhéanamh.

BAIN TRIAIL AS!

Cuir do lámh go héadrom thar bhosca do ghutha agus mothaigh cad é a tharlaíonn nuair a dhéanann tú ceithre rud:

★ cogarnach
★ scairteadh
★ ceol
★ drandán

8

Tig leat do mhéara, do lámha
agus do chosa a úsáid le trup a
dhéanamh fosta.

Croith méar, ansin lámh agus ansin cos. An ndearna tú mórán trup?
Anois smeach do mhéara, buail do bhosa agus gread do chosa. Éist
leis an trup a dhéanann tú anois!
Cad chuige a ndearna tú i bhfad níos mó trup an uair seo?

Bí ciúin!

Ní dhéanann sú i ngloine fuaim ar bith. Ach bíonn trup ann nuair a bhíonn sú ag doirteadh as crúiscín isteach i ngloine. Insíonn trup duit go bhfuil rud éigin ag bogadh!

 BAIN TRIAIL AS!

Suigh gan bogadh. An dtig leat tú féin a chluinstin ag déanamh trup? Seas suas agus damhsaigh thart. An dtig leat tú féin a chluinstin ag déanamh trup anois?

 SMAOINIGH AIR!

An dtig leat smaoineamh ar rud ar bith nach mbogann mórán ach a dhéanann fuaim?

Níl an páipéar síoda, an cárta, an spúnóg adhmaid, an sáspan ná an fheadóg seo ag déanamh trup.

Cad é a thig leat a dhéanamh le trup a dhéanamh leo?

☀ BAIN TRIAIL AS!

Cruinnigh roinnt rudaí mar iad seo. Crap an páipéar síoda, croith an cárta, buail an sáspan leis an spúnóg agus séid isteach san fheadóg. Éist leis na fuaimeanna a dhéanann siad anois!

Éist...

Tugtar **flapa na cluaise** ar an chuid de do chluas a thig leat a fheiceáil.

Tá cruth an-mhaith ar fhlapa na cluaise le fuaimeanna a chruinniú.

BAIN TRIAIL AS!

Cuir raidió ag gabháil agus ísligh an fhuaim. Cuir lámh le cluas amháin sa dóigh go mbeidh flapa do chluaise níos mó agus tiontaigh i dtreo an raidió í. An dtig leat an raidió a chluinstin níos fearr? Clúdaigh do dhá chluas le do lámha. An dtig leat an raidió a chluinstin ar chor ar bith?

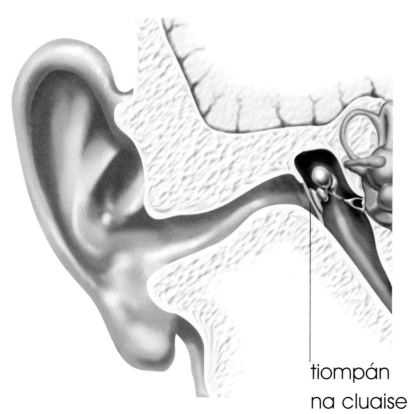

An raibh fhios agat go bhfuil druma taobh istigh de do chluas ar a dtugaimid **tiompán na cluaise**? Nuair a dhéanann rud éigin trup, bogann an t-aer uile thart air. Buaileann an t-aer seo atá ag bogadh in éadan thiompán na cluaise agus cuireann sé ar crith é. Ciallaíonn ar **crith** ag bogadh anonn agus anall go hiontach gasta. Nuair a bhíonn tiompán na cluaise ar crith, cluineann tú an fhuaim.

tiompán
na cluaise

BAIN TRIAIL AS!

Clúdaigh babhla go hiontach teann le greimchlúdach. Croith roinnt ríse ar an ghreimchlúdach. Buail stán bácála chomh callánach agus a thig leat díreach os cionn an bhabhla. Cad é a tharlaíonn?
Bogann trup an bhuille an t-aer thart air. Croitheann an t-aer ag bogadh an greimchlúdach agus cuireann sé an rís ag léim! Cuireann fuaim an bhuille tiompán do chluaise ar crith fosta.

13

Callánach agus ciúin

Bíonn fuaimeanna áirithe callánach agus bíonn cuid eile ciúin. Ciallaíonn **láine** fuaime cé chomh callánach nó chomh ciúin agus atá sí.

Má ardaíonn tú an fhuaim ar theilifíseán nó ar raidió, déanann tú níos callánaí é.

Tig linn fuaimeanna callánacha agus ciúine a dhéanamh.

 BAIN TRIAIL AS!

Triail ceol, do bhosa a bhualadh agus do chos a ghreadadh go ciúin. Anois triail ceol, do bhosa a bhualadh agus do chos a ghreadadh go hiontach callánach. An raibh ort oibriú níos crua leis na fuaimeanna callánacha a dhéanamh?

14

Bíonn fuaimeanna áirithe – biorán ag titim ar an urlár, mar shampla – chomh ciúin sin go mbíonn sé an-deacair iad a chluinstin.

Bíonn fuaimeanna eile chomh hard sin go dtig leo damáiste a dhéanamh do thiompán na cluaise.

Tá an fear seo ag caitheamh cosaintí cluas lena chluasa a chosaint ó fhuaim an druilire bóthair.

AMHARC SIAR

Amharc siar ar leathanach 7. Cuir na fuaimeanna seo in ord fosta, ag tosú leis an cheann is ciúine.

Ar chuala tú na fuaimeanna a dhéanann na rudaí uile ar an leathanach seo? Cuir in ord iad, ag tosú leis an cheann is ciúine.

15

Ard agus íseal

Tig le fuaimeanna bheith ard nó íseal chomh maith le bheith callánach nó ciúin. Ciallaíonn an **airde** atá ag fuaim cé chomh hard nó chomh híseal agus atá sí. Ar chuala tú riamh fuaimeanna arda nó ísle na n-uirlisí seo?

Tá airde íseal ag fuaim an dord-druma mhóir seo agus ag guthanna na bhfear fosta.

Tá airde ard ag fuaim na feadóige seo, agus ag guthanna na mban agus na bpáistí fosta.

BAIN TRIAIL AS!

Cuir do lámh go héadrom ar do laraing. Ceol **nóta** ard agus de réir a chéile lig do do ghuth éirí chomh híseal agus a thig leat. Mothaigh cad é a tharlaíonn do bhosca do ghutha.

Seinneann na téada tiubha ar ghiotár na nótaí atá íseal agus seinneann na téada caola nótaí atá níos airde.

SMAOINIGH AIR!

Cad é mar a sheinneann tú an giotár go callánach?

Cad é mar a sheinneann tú go ciúin é?

BAIN TRIAIL AS!

Faigh dhá bhuidéal ghloine atá ar aon mhéid. Buail buille bog orthu le spúnóg mhiotail agus éist leis an fhuaim a dhéanann siad.

Cuir braon beag uisce i mbuidéal amháin agus braon níos mó i mbuidéal eile. An nóta ard nó nóta íseal a chluineann tú nuair a bhuaileann tú anois iad? Cé acu buidéal a bhfuil an méid is mó aeir ann?

17

Ag déanamh ceoil

Caithfidh tú na huirlisí ceoil seo a phiocadh, a scríobadh, a shéideadh, a bhualadh nó a chroitheadh lena seinm. An dtig leat a rá ó na pictiúir cad é a dhéanann tú le gach ceann acu le fuaim a dhéanamh?

Is **gaothuirlis** í an fheadóg.

Nuair a shéideann tú isteach inti, cuireann tú an t-aer taobh istigh di ar crith agus cluineann tú fuaim.

Cé acu de na huirlisí ar an leathanach thall ar gaothuirlis í?

BAIN TRIAIL AS!

Cruinnigh roinnt feadán agus buidéil fholmha phlaisteacha cosúil leo seo. Séid go bog thar a mbarr leis an aer taobh istigh díobh a chur ar crith. An dtig leat fuaim a chluinstin?

19

Streanc agus planc

Is **téaduirlisí** iad an giotár agus an dordveidhil. Tá **fuaimbhoscaí** móra adhmaid lán d'aer istigh iontu.

Piocann tú sreanga an ghiotáir le do mhéara agus scríobann tú an dordveidhil le bogha. Nuair a dhéanann tú é seo, critheann an t-aer taobh istigh de na fuaimbhoscaí agus déanann sé fuaim.

 BAIN TRIAIL AS!

Sín banda leaisteach idir do mhéara agus pioc air. Cad é a chluineann tú?
Sín bandaí leaisteacha thart ar shoithí oscailte le fuaimbhoscaí a dhéanamh. Pioc ar na bandaí leaisteacha thar an chuid oscailte de na soithí. Cad é a chluineann tú anois?

20

Is **cnaguirlis** é an druma. Buaileann nó cnagann tú na cnaguirlisí le fuaim a dhéanamh.

👁 **AMHARC SIAR**

Amharc siar ar leathanach 18. Faigh dhá chnaguirlis eile.

 BAIN TRIAIL AS!

Cruinnigh péirí de rudaí a thig leat a bhualadh le chéile.

Líon soithí le pasta, cnaipí, rís nó sliogáin. Cuir an barr ar ais go daingean ar na soithí agus croith iad.

Cruinnigh boscaí, cannaí agus sáspain. Cuir bunoscionn iad. Buail agus cnag iad ag úsáid rudaí éagsúla mar bhataí.

Cá mhéad fuaim éagsúil a thig leat a dhéanamh?

Fuaim ag taisteal

Taistealaíonn fuaim ó raidió tríd an aer chuig do chluasa agus tig leat í a chluinstin. Taistealaíonn fuaim trí bhrící agus trí adhmad chomh maith.

BAIN TRIAIL AS!

Cuir an raidió ar siúl agus seas in aice leis. Beidh tú ábalta an fhuaim a chluinstin go soiléir. Anois gabh amach as an seomra agus druid an doras. An dtaistealaíonn fuaim an raidió tríd an doras?

Cuir cluas amháin leis an bhalla agus cuir do lámh thar an chluas eile. An dtig leat an raidió a chluinstin anois?

Ar thriail tú riamh "haileo" a scairteadh i halla mór folamh? Má rinne, is dócha gur chuala tú "haileo" díreach ina dhiaidh, mar a bheadh duine ag scairteadh ar ais ort.

Taistealaíonn fuaim do ghutha tríd an aer, buaileann sí na ballaí agus preabann sí ar ais chugat. Tugaimid **macalla** air seo.

Taistealaíonn fuaim ar shreangán agus ar shreanga.

 BAIN TRIAIL AS!

Cuir poll i mbun dhá chupán phlaisteacha. Cuir píosa fada sreangáin trí na poill agus greamaigh é le dhá chnaipe. Coinnigh an sreangán teann agus labhair le cara tríd an teileafón.

Ag seoladh teachtaireachtaí

In amanna tig leat bheith cóngarach do dhuine ach bíonn sé deacair acu tú a chluinstin i gceart.

 BAIN TRIAIL AS!

Gabh áit éigin a bhfuil neart spáis - páirc nó clós súgartha, mar shampla. Abair rud éigin le cara sa dóigh go gcluinfidh siad go furasta thú. Anois bog níos faide ar shiúl agus abair arís é. Coinnigh ort ag bogadh níos faide ar shiúl go dtí go mbeidh tú rófhada ar shiúl le go gcluinfidh do chara cad é atá tú a rá.

 SMAOINIGH AIR!

Cén dóigh a dtiocfadh leat úsáid a bhaint as bratacha, peann agus páipéar nó tóirse le teachtaireachtaí a chur chuig duine atá rófhada ar shiúl le tú a chluinstin?

24

Nuair a labhraíonn tú ar an teileafón, is féidir do ghuth a sheoladh ar línte ó theach go teach agus fiú tríd an aer ó thír go tír.

Tig leat pictiúir agus fuaimeanna as gach cuid den domhan a fheiceáil agus a chluinstin ar an teilifís.

Craolann stáisiúin raidió fuaimeanna tríd an aer sa dóigh go dtig linne éisteacht leo ar ár raidiónna.

👁 AMHARC SIAR!

Amharc arís ar leathanach 12. Cén dóigh a gcluineann tú teachtaireachtaí ón raidió?

25

Ag taifeadadh fuaime

Is féidir ceol, focail agus fuaimeanna eile a thaifeadadh ar dhlúthdhioscaí agus ar théipeanna.

Nuair a sheinneann tú iad, cluineann tú an fhuaim trí challairí. Tig leat éisteacht leo arís agus arís eile.

An bhfuil dlúthdhioscaí nó téipeanna ar bith sa bhaile agatsa? Cén rud ar maith leat éisteacht leis?

 SMAOINIGH AIR!

Cén dóigh a dtiocfadh leat éisteacht le ceol mura mbeadh dlúthdhioscaí ná téipeanna ann?

Tig leat **taifeadadh** de do chuid féin a dhéanamh má tá **micreafón**, téipthaifeadán agus téip agat.

BAIN TRIAIL AS!

Tig leat scéal a léamh, ceol nó uirlis a sheinm, scéal greannmhar a insint nó teachtaireacht a thaifeadadh le seoladh chuig duine éigin atá ina chónaí i bhfad ar shiúl. Éist leis an taifeadadh a rinne tú.

27

Focail úsáideacha

Airde   Ciallaíonn airde fuaime cé chomh hard nó íseal agus atá sí. Tá airde éagsúil ag gach fuaim nó nóta sa cheol.

Bosca an ghutha   Féach *laraing*.

Callairí   Is trí challairí a chluineann tú an fhuaim ó theilifíseáin, ó raidiónna agus ó sheinnteoirí dlúthdhioscaí.

Cnaguirlisí   Buaileann nó croitheann tú cnaguirlisí le fuaim a dhéanamh. Is cineálacha cnaguirlisí iad drumaí agus bodhráin.

Craoladh   Na pictiúir agus fuaimeanna a fhaighimid ar ár dteilifíseáin agus raidiónna, seolann nó craolann na stáisiúin theilifíse agus raidió iad ina gcomharthaí raidió nach dtig a fheiceáil. Glacann na teilifíseáin agus raidiónna na comharthaí seo, agus athraíonn siad ar ais ina bhfuaim agus ina bpictiúir iad sa dóigh go dtig linn amharc orthu agus éisteacht leo.

Crith   Ciallaíonn bheith ar crith bheith ag bogadh fad gairid anonn is anall go hiontach gasta.

Flapa na cluaise   An chuid de do chluas a thig leat a fheiceáil. Tá cruth maith air le fuaimeanna a chruinniú.

Fuaimbhosca   Bíonn fuaimbhosca mór lán aeir ag uirlisí áirithe. Nuair a sheinntear an uirlis bíonn an t-aer ar crith taobh istigh den fhuaimbhosca agus déanann sé an fhuaim níos callánaí.

Gaothuirlisí   Caithfidh tú séideadh isteach i ngaothuirlisí lena seinm. Bíonn an t-aer istigh iontu ar crith agus déanann sé fuaim. Is gaothuirlisí iad an fheadóg mhór, an fheadóg stáin agus an trumpa.

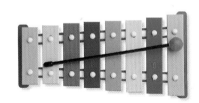

Láine Ciallaíonn láine fuaime cé chomh callánach nó ciúin agus atá sí.

Laraing Tig leat do laraing nó bosca do ghutha a mhothú i do mhuineál. Nuair a labhraíonn tú, critheann téada speisialta i do laraing le fuaim a dhéanamh, cosúil leis na téada ar ghiotár.

Macalla Nuair a phreabann fuaim de rud éigin cosúil le balla, cluineann tú an fhuaim arís. Tugtar macalla air seo.

Micreafón Tógann micreafón fuaimeanna agus tiontaíonn sé ina gcomhartha leictreach iad. Nuair a dhéanann tú taifeadadh, bíonn micreafón de dhíth ort le fuaim do ghutha a thógáil.

Nóta Nuair a éisteann tú le ceol, is nóta í gach fuaim a chluineann tú. Ceolann tú nótaí nó seinneann tú ar uirlisí ceoil iad.

Taifeadadh Cóip d'fhuaim nó de cheol a dtig leat éisteacht léi arís is arís eile. Tig leat gach sórt fuaime a thaifeadadh le micreafón agus téipthaifeadán.

Téaduirlisí Bíonn téada sínte go teann thar fhuaimbhosca ar na téaduirlisí. Caithfidh tú iad a phiocadh nó a scríobadh le bogha lena seinm. Is téaduirlisí iad an fhidil, an dordveidhil agus an giotár.

Tiompán na cluaise Is istigh i do chluas atá tiompán na cluaise. Tá sé rud beag cosúil leis an chuid de dhruma a bhuaileann tú. Nuair a bhuaileann fuaim an tiompán, cuireann sí ar crith é agus cluineann tú an fhuaim sin.

Innéacs

Maidir leis an leabhar seo

Is dual do pháistí bheith ina n-eolaithe. Foghlaimíonn siad trí bheith ag mothú, ag tabhairt faoi deara, ag cur ceisteanna agus ag baint triail as rudaí ar a gconlán féin. Tá na leabhair sa tsraith *Seo an Eolaíocht* curtha in oiriúint don dóigh a mbíonn páistí ag foghlaim. Baintear úsáid as rudaí coitianta mar thúsphointí lena dtreorú chuig a thuilleadh foghlama. In *Fuaimeanna* tosaítear le haláram ag bualadh agus fiosraítear fuaim.

Faightear topaic úr ar gach leathanach dúbailte – airde, mar shampla. Tugtar eolas, cuirtear ceisteanna agus moltar gníomhaíochtaí a spreagann páistí le rudaí a fháil amach dóibh féin agus le smaointe úra a fhorbairt. Coinnigh súil amach do na painéil seo síos tríd an leabhar:

BAIN TRIAIL AS! – gníomhaíocht shimplí, ag úsáid ábhair shábháilte, a chruthaíonn nó a fhiosraíonn pointe éigin.

SMAOINIGH AIR! – ceist a spreagtar ag an eolas ar an leathanach ach a dhíríonn aird an léitheora ar réimsí nach gclúdaítear sa leabhar.

AMHARC SIAR – gníomhaíocht chrostagartha a nascann téamaí agus fíorais síos tríd an leabhar.

Spreag na páistí le bheith fiosrach faoin domhan a bhfuil siad cleachta leis. Cuir rudaí ar a súile dóibh, cuir ceisteanna agus bíodh spraoi agaibh ag déanamh fionnachtana eolaíochta i gcuideachta a chéile.